D0236548

Tristan Demers
Shopkins™
Des courses de folie !
BANDE DESSINÉE
1
CASCADES ET RIGOLADES
BOING!
CLAP!
CLAP!
CLAP!
CLAP!
PRESSES AVENTURE

DIRECTION ARTISTIQUE, SCÉNARIOS, CROQUIS ET DÉCOUPAGE
TRISTAN DEMERS

CRAYONNAGE
JOCELYN JALETTE

ENCRAGE
ANDRÉ GAG GAGNON ET YOHANN MORIN

ENCRAGE ET COULEURS
CONSTANCE HARVEY

IDÉES DE GAGS
FRÉDÉRIC ANTOINE

Presses Aventure inc.
55, rue Jean-Talon Ouest
Montréal (Québec) H2R 2W8
CANADA

groupemodus.com

Président-directeur général : Marc G. Alain
Directrice éditoriale : Marie-Eve Labelle
Adjointe à l'édition : Vanessa Lessard
Designers graphiques : Bruno Ricca et Catherine Houle
Correctrices : Christine Barozzi et Catherine LeBlanc-Fredette
Photographe de l'auteur : Valérie Laliberté

ISBN : 978-2-89751-117-3

Dépôt légal — Bibliothèque et Archives nationales du Québec, 2016
Dépôt légal — Bibliothèque et Archives Canada, 2016

Nous reconnaissons l'aide financière du gouvernement du Québec par l'entremise du Programme de crédit d'impôt pour l'édition de livres et du Programme d'aide aux entreprises du livre et de l'édition spécialisée – SODEC

Financé par le gouvernement du Canada

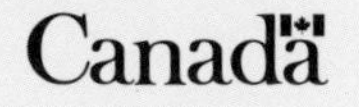

Imprimé en Chine en mars 2017

Tristan Demers

PRESSES AVENTURE

LES SHOPKINS débordent d'imagination et de créativité. Ils sont toujours prêts à organiser des courses incroyables, des activités amusantes et de grandes fêtes-surprises. Voyage dans les rayons des fruits et légumes, de la boulangerie ou encore de la confiserie pour y découvrir l'envers du décor du **SUPERMARCHÉ**.

Accompagne Pommette, Fraisy, Gely, Seldemer, Cooky et tous les autres dans leurs petites et grandes aventures quotidiennes. Que font Fromette et Donuta pour s'amuser ? À quoi rêvent Gatorigolo et Shampoui'nette ? À quoi jouent Spaguetta et Roulota l'après-midi ? Quelle est la réelle utilité des paniers d'épicerie ? Il y a tant de choses à découvrir au supermarché des Shopkins.

ALLEZ, ENTRE !

VOICI LES Shopkins

Des courses de folie!

LAITCHOUETTE

Laitchouette est timide. Elle adore rester au frais dans son étagère, mais elle ne se fait jamais prier très longtemps pour rendre visite à ses copains dans les autres rayons. Il est impossible que tu t'ennuies avec elle, car elle adore parler pendant des heures.

CONFIPOTINE

Confipotine a les meilleurs conseils lorsqu'il est question de recettes. Elle connaît les étagères du supermarché par cœur et elle est une référence pour les Shopkins. Sa confiture de rhubarbe et fraises est réputée pour être la meilleure de tout le pays ! À goûter absolument.

TOMATOS

Tomatos a toujours réponse à tout, car il a toujours su poser les bonnes questions ! Ce petit Shopkins trapu est une légende dans le supermarché. À ce qu'on dit, il serait là depuis la grande ouverture ! Encore en grande forme, il est toujours partant pour raconter une de ses bonnes vieilles histoires !

POMMETTE

Pommette a beaucoup d'énergie et elle est prête à la partager avec toi ! Elle a toujours de bonnes idées, une qualité essentielle quand on veut organiser les plus grandes fêtes ! Pas vrai ?

GLOSSY

Glossy est très exigeante. Elle est au sommet du bonheur lorsqu'elle voit ses amis réussir. Elle est toujours partante pour jouer à de nouveaux jeux et elle est toujours la première à être au courant de tout... Surtout quand un nouveau département prend place dans le supermarché !

FROMETTE

Fromette fait toujours sourire ses amis par sa maladresse et son manque d'équilibre. Ce petit fromage est très rigolo et son imagination est débordante lorsqu'il est question d'inventer de nouveaux jeux. Comment lui résister ?

Pommette, aide-moi !
Je suis prise !
Laisse-moi voir,
il y a sûrement
un moyen de te
sortir de là !
Merci ! Je savais
que je pouvais
compter sur toi !
Vous jouez encore
aux prisonniers
avec les paniers ?
Drôle d'activité.

BROLOM!
BOM!
BOM!
Tu as vu les nouveaux panneaux qu'ils ont installés ?
Oui, j'ai eu la peur de ma vie !

Allez, Cocotte ! Un dernier pas et on a réussi !
Ouf ! Nous y sommes presque !
Bravo ! À nous l'Everest des surgelés !
TAP!
Et maintenant, comment redescend-on ?

Quatre...
Trois...
Deux... Un...
J'Y VAIS !
Roulota,
où te
caches-tu ?
Hi ! Hi !
?
Ah, tu es là ?
Me voici !
Comment as-tu fait
pour me trouver ?
Dis donc, je perds
toujours à ce jeu !

Wahoouuu !
C'est le meilleur trampoline du supermarché !
Ça va, Gelly ?
BOING!
BOING
BOING!
Tu t'amuses, toi aussi ?
BOING!
Hi ! Hi ! Ça chatouille !

Ce rayon est parfait pour une course !
Tiens-toi bien, Seldemer !
Yahou !
Attention, on a un problème !
?!
Wooo ! Accrochez-vous !
BANG !
POC !
Il ne manquait plus que ça : la roue s'est décrochée. Que fait-on ?
Je crois que la course est terminée...
Attendez ! Je crois avoir une idée.
Wahou ! Ça va encore plus vite !

Je n'arrive pas
à relaxer
ces temps-ci.
Avec tous ces néons,
difficile de trouver
un coin sombre
pour se reposer.
Il n'y a pas moyen
de baisser la
lumière dans
ce marché ?
Et voilà !
Repose-toi bien !
Hi ! Hi !
Ha ! Ha !
Chère
Confipotine !

Détends-toi, pour une fois qu'on a des vacances !
Je n'aime pas tout ce sable déversé dans le supermarché.
Était-ce nécessaire d'en faire autant pour célébrer l'été ?
!?
?
POUF!
Oups ! J'admets qu'on n'avait pas pensé à ça...

Laitchouette ! C'est rare de te voir à l'extérieur du rayon des produits laitiers !
Comment vas-tu ? Dans mes bras, mon amie !
Mais qu'est-ce qui se passe ?
J'oublie toujours mon état !
Lolisucette est trop collante, surtout quand il fait chaud !

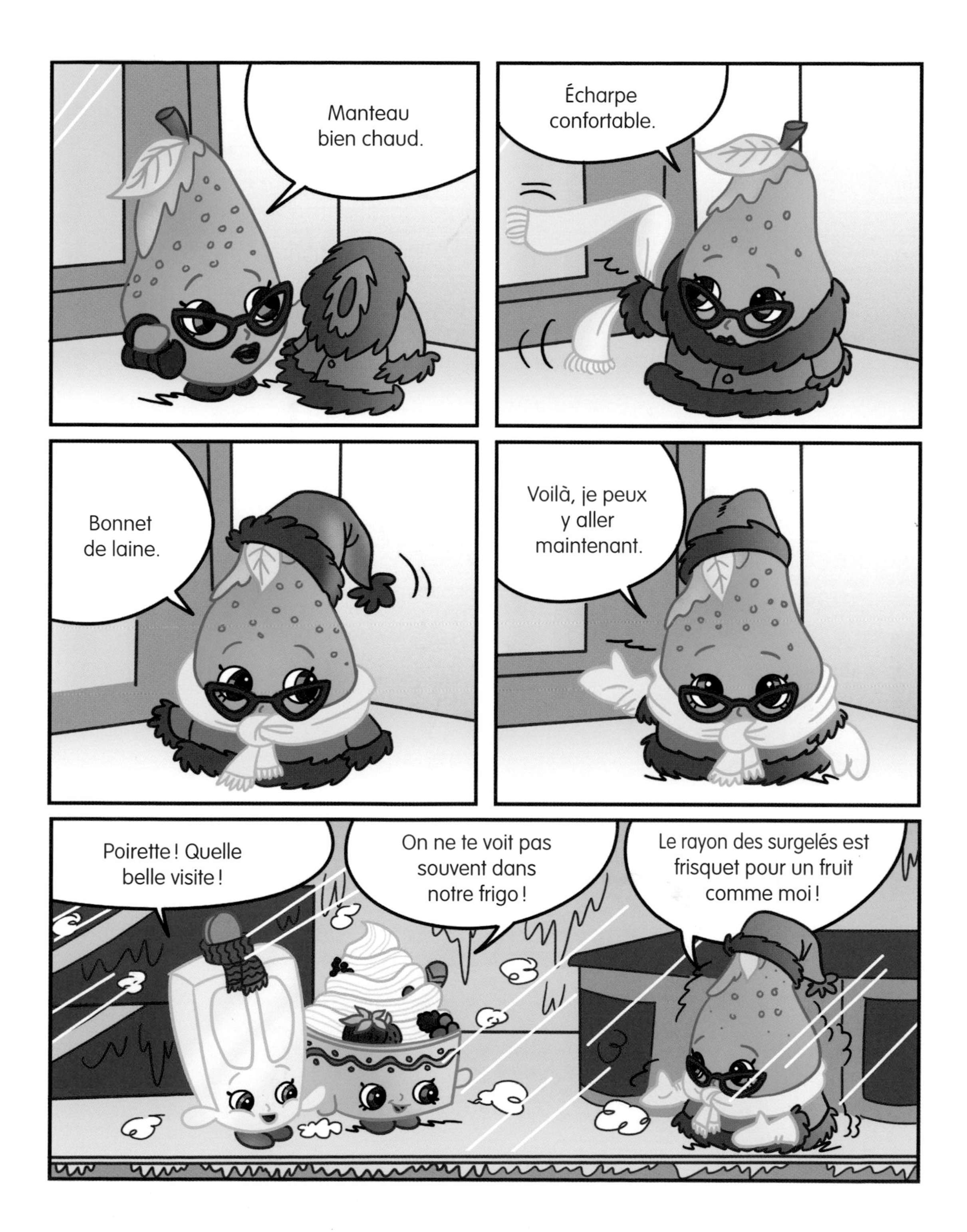

Manteau
bien chaud.
Écharpe
confortable.
Bonnet
de laine.
Voilà, je peux
y aller
maintenant.
Poirette ! Quelle
belle visite !
On ne te voit pas
souvent dans
notre frigo !
Le rayon des surgelés est
frisquet pour un fruit
comme moi !

Par où
est la sortie ?
Ouf !
Par ici...
ou par là ?
Un vrai labyrinthe !
Vais-je y arriver ?
Haaaa !
Enfin,
la lumière !
Te voilà, toi !
Mais où
étais-tu donc ?

Quoi de mieux qu'un bain de lait tiède pour relaxer après une dure journée?
C'est comme un spa maison! Tu me le diras si tu as encore besoin de moi.

PFFFF!
PFFFF!
PFFFF!
Une bulle qui fait des bulles? Ne t'envole pas trop haut, quand même!
PFFFF!

TROIS...
DEUX...
UN... MISE À FEU !
C'est un départ ! En route vers l'espace !
PSSSCHIIIT T !
Ou plutôt, le plafond du supermarché des Shopkins !
On peut bien rêver !

Je ne sais vraiment pas pourquoi ces deux-là s'entendent aussi bien... T'as une idée, toi, Poivrinette ?
Jelly

Attention, Pastiquette,
tu perds tes pépins !
Oups ! Voilà pourquoi
je me sentais
plus légère !

Pourvu que je ne réveille personne… Soyons discret.
CRUNCH
J'ai toujours une fringale au milieu de la nuit !
CRUNCH
CROUNCH!
?
Que fais-tu dans la cuisine à deux heures du matin ?
Zut ! J'ai échappé quelques chips !
CRUNCH

WOW !
J'ai fait un tour dans le rayon des aliments en vrac ! Avec ça, on va s'amuser.
Pour une fois que je peux m'exercer sur de faux ongles !
Des amandes émincées, tu veux dire. Ce n'est pas la même texture, mais ça fait l'affaire.

Quelle dure semaine ! On peut bien relaxer !
Ouais, enfin tranquilles...
Salut ! Je peux me joindre à vous ?
Vraiment ? Je ne sais pas si...
Bubble
Bonne idée ! Tu vas voir, Glossy, ça va être super !
Et voilà ! On se retrouve dans un bain moussant !
Ça change nos plans, mais ce n'est pas plus mal !

C'est bon, vous pouvez y aller ! La piste est prête !
Yahooouuuu ! C'est encore plus amusant qu'une patinoire !
Super activité, Boutondor. Merci !
Génial !
ZOUUUUUU !

J'ai croisé un confrère tout enroulé sur lui-même.
Sûrement un contorsionniste.

Dis, Cooky...
C'est nouveau, toutes ces taches?
Ce sont mes brisures de chocolat. Je suis née comme ça...
POP!

Il ne me manque qu'un joli bouquet.
Pour ta soirée avec Chewbubbly ?
Oui, mais il n'y a plus de fleurs dans le supermarché.
Comment puis-je t'aider ?
J'ai pensé t'apporter ce présent pour souligner notre amitié !
C'est gentil ! Où les as-tu trouvées ?

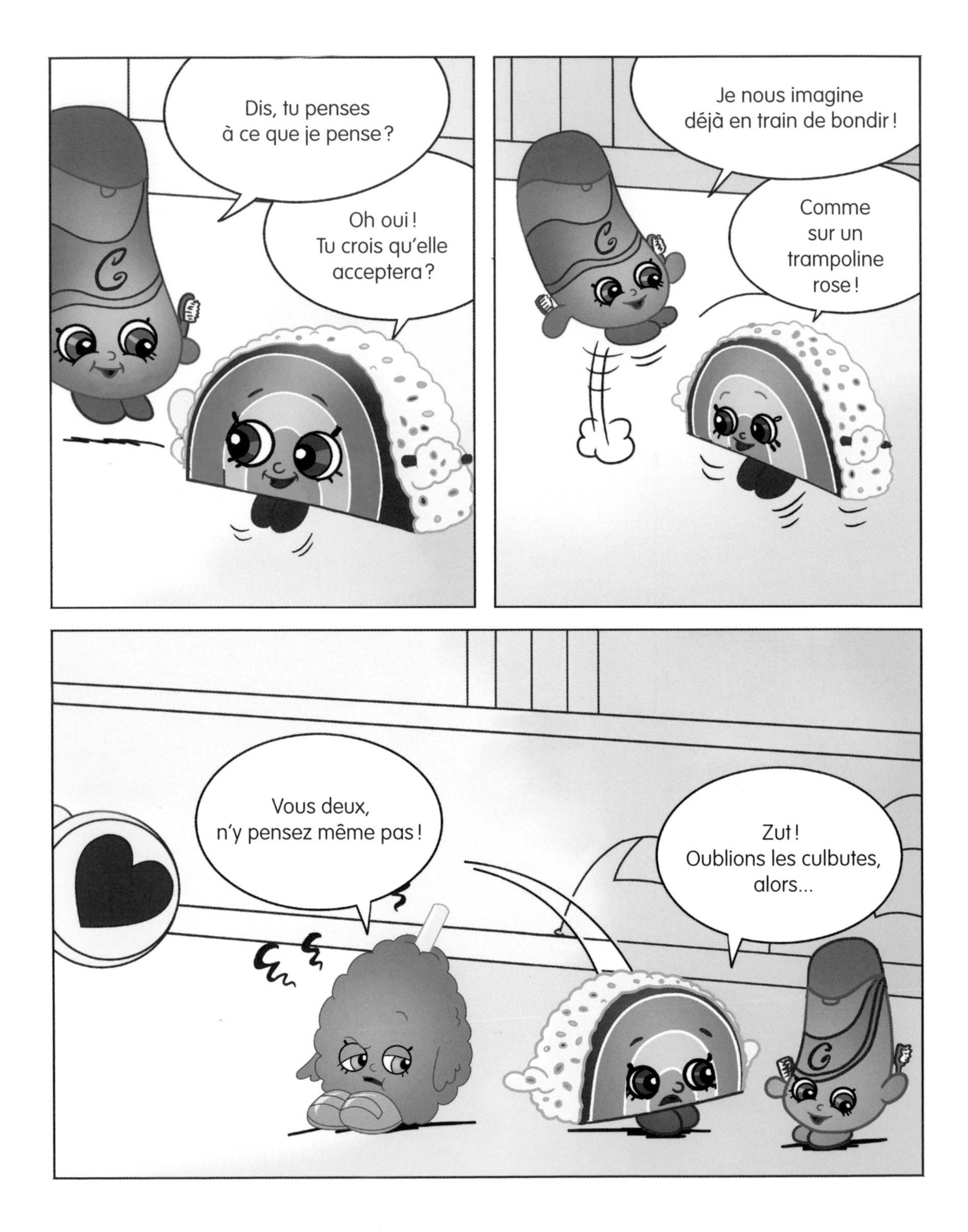
Dis, tu penses
à ce que je pense ?
Oh oui !
Tu crois qu'elle
acceptera ?
Je nous imagine
déjà en train de bondir !
Comme
sur un
trampoline
rose !
Vous deux,
n'y pensez même pas !
Zut !
Oublions les culbutes,
alors...

Salut, Bonbonbon. C'est chouette, ta coiffure !
Tu veux que je t'en fasse une comme la mienne ?
Changement de style ? C'est très joli.
Quand on s'effiloche, c'est facile.

Mais quel gaspillage! Qui a laissé tomber cette magnifique sauce tomate par terre?
?
Pizza
Je m'excuse... Je ne contrôle pas mes éternuements.

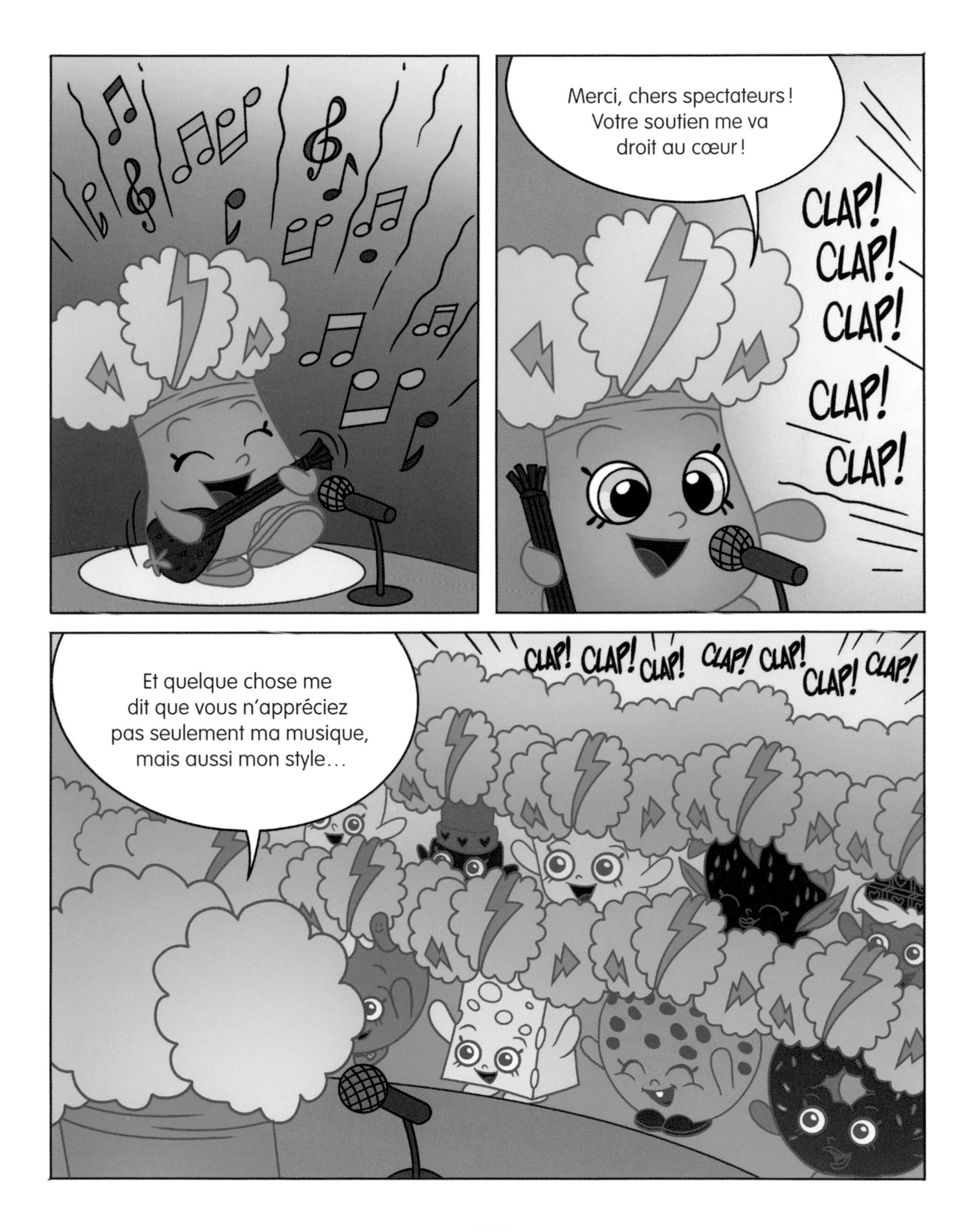
Merci, chers spectateurs !
Votre soutien me va
droit au cœur !
CLAP! CLAP! CLAP! CLAP! CLAP!
CLAP! CLAP! CLAP! CLAP! CLAP! CLAP! CLAP!
Et quelque chose me
dit que vous n'appréciez
pas seulement ma musique,
mais aussi mon style…

Fromette? Que fais-tu à cette heure, loin du rayon des produits laitiers?
Je viens te voir. J'ai lu un livre de recettes sur les gâteaux au fromage et aux fraises et j'en ai déduit que, peu importe ce qui se passera, tu seras toujours mon amie!

Tu marches de travers... Que se passe-t-il?
J'ai mal au ventre et au genou. Un remède?
Repos, moutarde et miel sous un pansement, sirop de canne à sucre fermenté après le dodo, prise de température et bouillotte, mais seulement si tu n'as pas de glaçons.
!!!
Un mal de tête? Demande à Confipotine, elle va t'aider!
C'est justement ses explications qui m'ont donné mal à la tête!

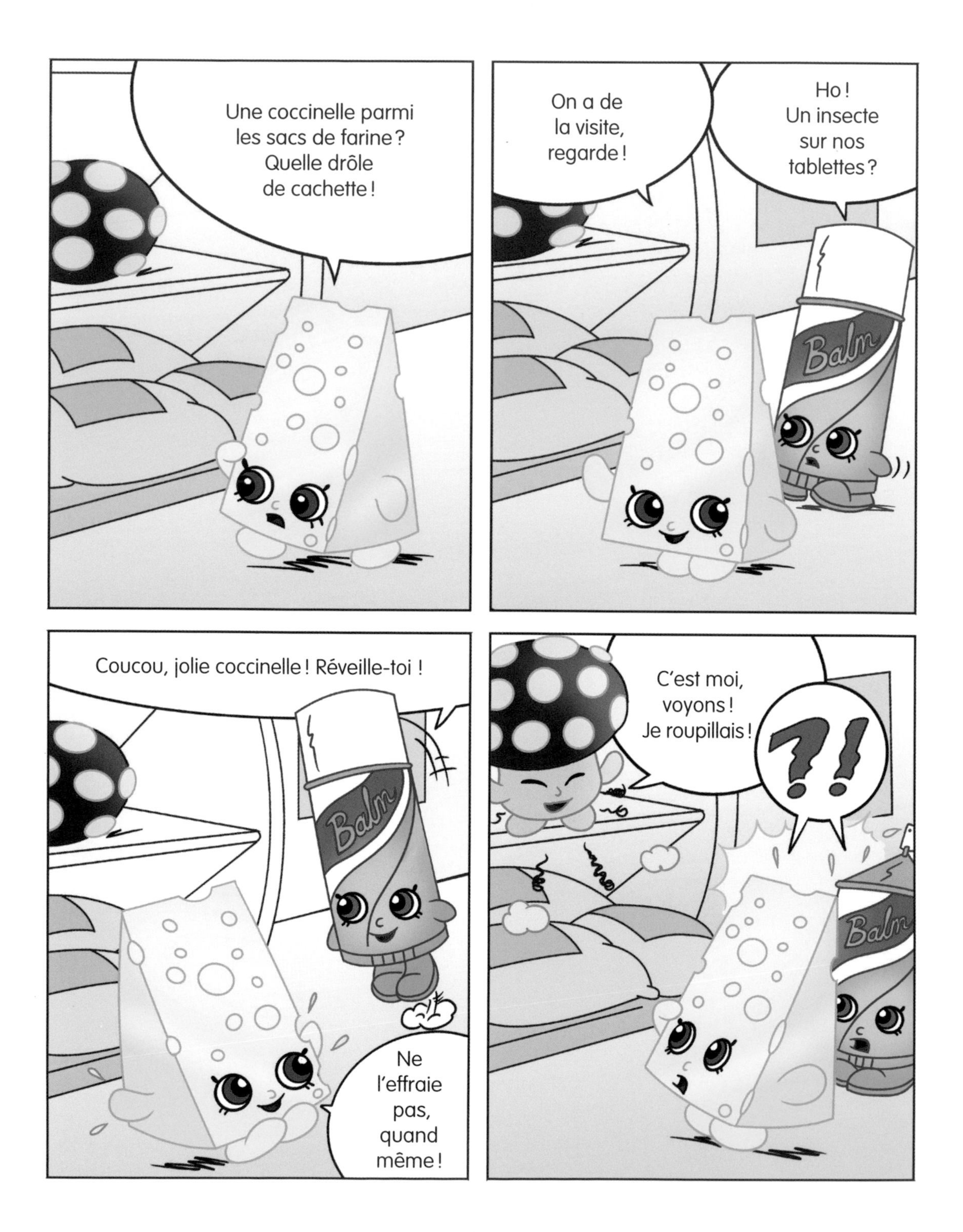
Une coccinelle parmi les sacs de farine? Quelle drôle de cachette!
On a de la visite, regarde!
Ho! Un insecte sur nos tablettes?
Balm
Coucou, jolie coccinelle! Réveille-toi!
Balm
Ne l'effraie pas, quand même!
C'est moi, voyons! Je roupillais!
?!
Balm

Yéé!
Yahou!
Bravo!
Hé ! C'est injuste !
Interdiction d'avoir de l'aide !
Vous êtes disqualifiés !

Tu es certaine que ça va mordre ?
Fais-moi confiance, je viens souvent avec Fraisy.
Ça y est ! Ça mord ! Vite, il faut le tirer de là !
Wow ! Joli bonbon !
Lolisucette mélange souvent les bonbons dans le rayon des trucs en vrac !
ARACHIDES
NOIX

?
Mais qui vous a dit que c'était moi ? Je n'ai pourtant pas signé mon nom !
Je ne connaissais pas tes talents d'artiste, Glossy !

BLAGUES CRAQUANTES

Aucun doute, les Shopkins en connaissent un rayon sur l'alimentation !

Fromette fait partie de ces Shopkins qui font du bien ! (fondue bien)

Chocolette est très dévouée. Elle serait même prête à traverser le dessert pour ses meilleurs amis ! (dessert – désert)

Pommette est la plus débrouillarde des Shopkins. Elle sait toujours comment réagir en cas de pépins !

Donuta ne peut s'empêcher de grignoter souvent. Elle a toujours un petit creux !

Quel est le plus grand rêve de Fraisy ?
Être la cerise sur le sundae !

Quel est le rêve de Cooky ?
Trouver une pépite d'or !

Que dit Laitchouette à Cocotte en guise de salutation ?
Ça roule, ma poule ?